ファンクを極める本物のエチュード

ブリード・イズ・ファンキン

Cインストゥルメンツ

by Peter Weniger

Cover Art: Ehrenberg Werbung
Cover used by permission of Skip Records
Cover Photo: Steven Haberland
Music engraving: Trent Kynaston
Translation: David Friedman/Heike Bach
Layout: Tim Birgel
Photos: Steven Haberland
Production: Veronika Gruber
Peter Weniger plays YAMAHA Saxophones exclusively

Printed in Japan

ATN, inc.

著者について

*Peter Weniger*は、1964年にドイツのハンブルクに生まれ、現在は世界的なジャズ・シーンにおいて最も刺激的なサックス・プレイヤーの１人です。彼は、ハンブルク・コンサーヴァトリーが試験的に導入したポピュラー・ミュージック学部を1984年に卒業しています。1992年には、ケルン・ミュージック・コンサーヴァトリーを主席で卒業しています。

*Peter*は演奏において多数の賞を受賞しました。1988年にはケルンのサクソフォンのための*Tonger*ミュージック・コンペティションで１位となり、1989年にはチェコスロバキアの Karlovy-Vary ジャズ・フェスティヴァルにおいてベスト・ソロイスト賞を受賞しました。1996年には、サウス・ウエスト・ドイツ放送SWFのジャズ賞を、そして彼のCD **Tip Tap**はドイツのレコード批評家の賞を受賞しました。1998年には、ベスト・ジャズ・モダン・アーティスト賞を受賞しました。

*Peter*はこれまでに自身のアルバムを９枚発表し、*Hubert Nuß*、*Conrad Herwig,*、*John Abercrombie*、*Rufus Reid*、*Adam Nussbaum*、*David Liebman*、*Carl Allen*、*Dennis Irwin*、*John Schröder*、*Jeff Hamilton*、*Christian Ramond*、*Lynn Seaton*、*Rob Pronk and the Metropol Orchestra*などと共演してきました。さらに彼は、*Jasper van't Hof's "Pili Pili"*、*Billy Cobham*、*Billy Mays*、*Matt Wilson*、*Martin Wind*、*Eddie Palmieri*、*Lionel Richie*、*Django Bates*、*Mike Stern*、*Leni Stern*、*Peter Herbolzheimers RC & B*、*the Paul Kuhn Orchestra*など、すばらしいミュージシャンたちと共演し、またドイツの放送局SWR、HR、NDR、WDR所属のビッグ・バンドとツアーやレコーディングしました。

1999年の冬期セメスターからは、ベルリンのUniversity of Artsで教鞭を取っています。

著者のディスコグラフィー

Legal Paradizer	Trio feat. Wolfgang Haffner & Decebal Badila
The Soccerball	Peter Weniger V.S. Martin Wind feat. Bill Mays & Matt Wilson
I Mean You	feat. Jeff Hamilton & Lynn Seaton
Weirdoes	feat. Hubert Nuss, Christian Ramond, John Schröder
TIP TAP	feat. Hubert Nuss, Dennis Irwin, Carl Allen
Peter Weniger	... and the Metropol Orchestra conducted by Rob Pronk
Key Of The Moment	feat. John Abercrombie, Rufus Reid, Adam Nussbaum
The Point Of Presence	feat. Hubert Nuss, Conrad Herwig
Hymn To Gobro	feat. Hubert Nuss, Conrad Herwig, Ingmar Heller, Hardy Fischötter
Zuppa Romana	feat. John Schröder, Roberto DiGioia, Marc Abrams, P. Weniger

もくじ

Recorded and mixed April 2002 at A-Trane
Studio, Berlin by Holger Schwark.

Peter Weniger / Tenor Sax
Wolfgang Haffner / Drums
Decebal Badila / Bass

Originally released 2003 on the CD "**Legal Paradizer**" at Skip Records (SKP 9032-2)

This book is dedicated to Hans Gruber

Dieses Buch ist Hans Gruber gewidmet

Cet ouvrage est dédié à Hans Gruber

本書を *Hans Gruber* に献呈します

はじめに

このCD（楽譜も含めて）は、特に教育的音楽に使用するために創ったものではありませんでした。これは本来CDを発売するために私のトリオでレコーディングしたものです。

しかし、スタジオでこのレコーディングのミックス・ダウンをしている時に、CD Legal Paradizerをプレイ・アロング教材にするというアイディアの申し出を受けました。従って、ここで私が演奏している曲の音楽的コンセプトは、教育学的なアプローチは一切考慮するものではありません。この教材は確実にユニークなものとなっています。どの曲のストラクチャー（構造）も、よくあるプレイ・アロングCDの曲などに比べると簡単ではありません。そのため、あなたが曲を演奏する上のロード・マップを示すために、各曲についての短い説明やコメントを加えました。さらに、曲を解釈する上で参考となる、スタイル的な考察も加えてあります。

私は学生たちとのやり取りの中で、ファンキーでグルーヴィーな音楽をCDとともに演奏することがどれくらい楽しくなり得るかを認識しました。

本書に収録されている曲の大部分では、必ずしもコード・チェンジにとらわれる必要はありません。むしろシンプルにイン・タイムで演奏するように心がけましょう。これらの曲において本当に強調されるべきことは**グルーヴ**です。

私はこのプロジェクトの実現に貢献してくれた皆さんに感謝します。

今日音楽家たちがあるのは、まさに*Hans Gruber*のおかげであると、私は堅く信じています。

SKIPレコードの代表である*Sabine Bachmann*と*Bernd Skibbe*は、常に所属アーティストをサポートしてくれます。

オーディオ・エンジニアである*Holger Schwark*は、スタジオ内のどのような状況においても冷静沈着で、私のトリオにとっては、まさに第4の男というべき存在です。

私の家族は忍耐強くサポートしてくれただけでなく、そこが私の帰るべきやすらぎの場所でいてくれます。

最後に、*Wolfgang Haffner*と*Decebal Badila*は、何も言わずにすべて私に任せてくれました。彼らは、時間のない中で、私の音楽的アイディアを実現させる方法を知っているすばらしいミュージシャンです。感謝します！

Peter Weniger（2003年12月22日、Berlinにて）

本シリーズについて

本／CDセットには異なる4つのヴァージョンがあります。それぞれのヴァージョンは、B♭キーの楽器（テナー／ソプラノ・サックス、トランペット、クラリネット）、E♭キーの楽器（アルト／バリトン・サックス）、トレブル・クレフ（高音部記号）を用いるCキーの楽器（ギター、キーボードなど）、バス・クレフ（低音部記号）を用いる楽器（トロンボーンなど）の4巻で、楽譜は各楽器に対応するために移調されています。付属のCDの収録曲はすべて4巻とも共通です。従って、本書をバンドで使うこともできます。

本シリーズのB♭インストゥルメンツ巻の中には、2種類の異なるパート譜が用意されている曲があります。それは、トランペットとテナー・サックスはどちらもB♭キーですが、音の*レンジが異なるためです。本書および、他のヴァージョンで、どの楽器にも最適な楽譜が見つかるでしょう。特定のパッセージにおいて演奏が不可能な場合、それらを1オクターヴ上または下で演奏すれば、すぐに自分のパートを演奏できます。楽しんで演奏しましょう！

各曲には短い説明があります。演奏前に読んでおきましょう。

*range：音域と訳される言葉にはレンジ（range）とレジスター（register）の2つがあるが、レンジは特定の楽器（または声）が出し得る音の「限界」を意味し、レジスターは音の「領域」を意味する。ただし混同して用いられることもある。

Paradizer CD1/1 CD2/1

では最初の曲を始めましょう。 この曲はベースとドラムスのグルーヴで直接始まるため、始まる前にカウントがありません（言い換えれば、8小節のイントロダクションのあとAセクションに入るということです）。すべての[*1]音価は非常に短くプレイされるべきで、そうすれば本当にファンキーになります。ソロ・セクション（Eセクション）では、とても静かな雰囲気で短いベース・ソロが3回くり返されます（ソロ・セクションの終わりに6/4拍子の小節があるのでしっかり数えましょう）。そして曲は*Fine*の場所まで続きます。

Half-Life CD1/2 CD2/2

この曲もカウントがありません。最初のイントロ部分は4回くり返します。テーマ部分（ヘッドともいう）もくり返します。テーマに続いてソロ・パートがあります。そして*D.S.*後のテーマはくり返さず直接Codaに向かいます。テーマ部分は丸みのあるメロウ・トーンで、[*2]ビハインド・ザ・ビートで演奏しましょう。

Speedworld CD1/3 CD2/3

クリック（カウント・オフともいう）として4分音符が4つあります。この曲には、異なる長さの2つのソロ・セクションがあります。Eセクションは2回、Gセクションは3回くり返します。Gセクションの1回めは、ソロイストとドラムスだけのデュオでプレイします。テーマ部分は短いテクニカルなエチュードのようになっています。リズムに対してタイトにプレイしましょう。ジャズっぽくならないように！

French Affair CD1/4 CD2/4

この曲では、4分音符のクリックで2小節間カウント・オフしています。カウント・オフの2小節めの4拍めのクリックは、迷わずに[*3]アップビートからメロディを始めやすいように省いてあります（すなわち、メロディを演奏し始める前にクリック音が7回あるということ）。この曲は、フランスの映画音楽の雰囲気をイメージして作曲しました。特にテーマ部分は、丸みのある響きで、ロジカルな方法でプレイするように注意しましょう。この曲で重要なことは、演奏する前にブレスをどこでするのか決めておくことです。楽譜を参考にすれば、明確なロード・マップが見えてきます。楽しんで演奏しましょう！

The Breed Is Funkin' CD1/5 CD2/5

この曲のカウント・オフも、よくある1小節の4分音符のクリック音から始まります。そして、フィンガリング・エクササイズのための短いエチュードのようなメロディが続きます。メロディの構成音の多くは、ディミニッシュ・スケールに基づいたマイナー・アルペジオです。ソロ・パートは2回くり返しますが、あなたがその1回めでソロをプレイする時は、*Decebal*によるベース・ソロがフィーチュアされていることを考慮する必要があります。あなたの解釈次第ですが、ベース・ソロには音の隙間があるので、そこではハーモニーをサポートするつもりで、軽いフィルをプレイしましょう。

Castro-Pope CD1/6 CD2/6

この曲にはカウント・オフはありませんが、ドラムスのイントロが16小節あります。それをカウントしている間は、あまり気合いを入れすぎないようにしましょう。*Wolfgang*（ドラマー）はよく響き、かつ明確な方法でイントロ（ドラム・ソロ）を演奏しているので、あなたはどこからスタートするのかわかりやすいでしょう。この曲には非常に長

[*1] note value：音の長さ、音符の長さ
[*2] behind the beat：ビートに対してバック・サイド（遅れ気味）に演奏すること。俗に後ノリといわれる。バラード系ではレイド・バックともいう。
　　　ちなみに、ビートの真上はオン・ザ・ビート、ビートを少しつっ込み気味（前ノリ）に演奏することはオン・ザ・トップという
[*3] upbeat：上拍、弱拍のこと。この曲では、曲の第1小節の弱拍を導くアウフタクト（弱起）を指している

いソロ・パートがあります。ということは、あなた自身のアイディアを試すためのスペースがたくさんあるということです。テーマに戻る前に、*Wolfgang*（ドラムス）と*Decebal*（ベース）があなたをテーマへとうまくリードします（テーマに戻りやすくするために、ベースがテーマの4小節前から演奏し始める）。この曲は、*Pope*（ローマ法王）と*Fidel Castro*が会談したことに捧げたものです。

We Are Like That CD1/7 CD2/7

この曲もカウント・オフはなく、ドラムスのイントロダクションが4小節あります。これは非常にやさしいジャム・ピース（セッションに適した曲）です。あなたが特に注意しなければならないような、難しいコード・シークエンスはまったくありません。この曲で最も重要なことはグルーヴで、あなたがこの曲に合わせてダンスできることです！

The Zigg-Zagg CD1/8 CD2/8

ハーモニーの要素を見てもわかるとおり、この曲はジャズ・スタンダードの伝統に従って創られています。フレーズの中にあるいくつかのハーモニック・ターン（ハーモニーに沿った音使い）は、スムーズに演奏することが少し難しいかもしれません。わずかなリズムのキック（キメ）がある最後の3小節には、特に注意しましょう。それを聴くとわかりますが、私は、小さな鳥が空をジグザグに飛んでいる絵を思い浮かべてこの曲を創りました（この曲の元のタイトルはZigg-Zagg of a Birdでした...）。

Scrootch CD1/9 CD2/9

4分音符4つのクリック音がカウント・オフとなります。Scrootchとは、レコード・プレイヤーの針が針跳びを起こして、一定の部分（グルーヴ）だけをくり返しプレイしている状態を指します。従って、この曲のテーマ部分では、反復する音が「何かが引っかかって、動かなくなっている」という印象を与えます。この曲は、リラックス（レイド・バック）してプレイしましょう。反復する音に変化を加えるため、あなたの想像力をすべて使います。これはなかなかうまくいかないかもしれませんが、よい演奏に結びつく可能性がたくさんあります。

Just Skufflin' CD1/10 CD2/10

この曲に関しては、特に細かい説明はありません。ただ、曲の最後の4小節におけるリズミカル・ストラクチャー（リズムの構造）は注目に値します。ドラマーは最終コーラスで、エンディングに向かって再びハーフ・オープン・ハイハットを使ってプレイします。一度聴くと、簡単にプレイできることがわかるでしょう！しかし、この曲はいわゆる純粋なマイナー・ブルースではないことに注意しましょう。5小節めではG7（Gm7ではない）をプレイしなければなりません。

Poem Of A Bird CD1/11 CD2/11

カウント・オフは4分音符が4つです。この曲は、ベース・プレイヤーと2人でプレイするデュエットで、本書／CDの中では最も難しい曲かもしれません。難しいのは、ハーモニックな枠組みなしで、コードを明確に表現しなければならない点です。同時に、あまり音を詰め込みすぎないように注意しましょう。この曲は、本書およびプレイ・アロングCDを代表する美しくもちょっと変わった**フィナーレ**であり、正確な音の密度のバランスを見い出すことが最も重要です。

CD 1: Track 1
CD 2: Track 1

Concert

Paradizer

Weniger

CD 1: Track 2
CD 2: Track 2

Concert

Half-Life

Weniger

CD 1: Track 3
CD 2: Track 3

Concert

Speedworld

Weniger

14

Concert

French Affair

Weniger

CD 1: Track 5
CD 2: Track 5

Concert

The Breed Is Funkin'

Weniger

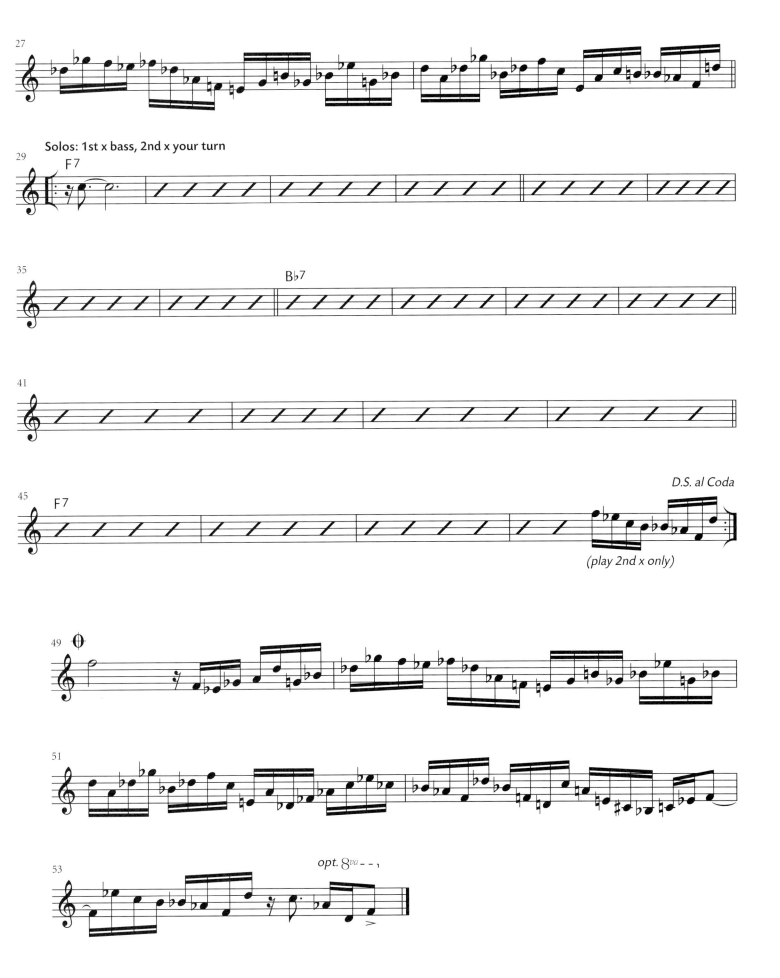

CD 1: Track 6
CD 2: Track 6

Concert

Castro-Pope

Weniger

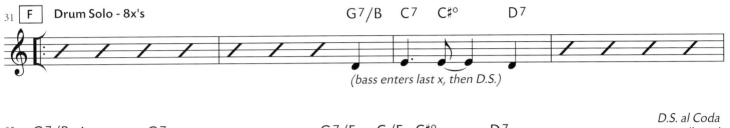

(bass enters last x, then D.S.)

D.S. al Coda
(last x)

CD 1: Track 7
CD 2: Track 7

Concert

We Are Like That

Weniger

CD 1: Track 8
CD 2: Track 8

Concert

The Zigg-Zagg

(play 6x's - 1x head, 4x's solo, 1x head - to coda)

Weniger

CD 1: Track 9
CD 2: Track 9

Concert

Scrootch

Weniger

CD 1: Track 10
CD 2: Track 10

Concert

Just Skufflin'

Weniger

CD 1: Track 11
CD 2: Track 11

Concert

Poem Of A Bird

(Duo with Bass)

Weniger

ファンク／フュージョン・スタイルのリズム・コンセプト

各巻　模範演奏＆プレイ・アロング2CD／スタンダードMIDIファイル付

演奏：*Peter O'Mara* (guitar), *Patrick Scales* (bass), *Christian Lettner* (drums)

本書は、ファンク／フュージョン・スタイルのリズム・コンセプトについて、より深く学習できる教則本です。本書で紹介する16曲は、*Peter O'Mara* 自身により、さまざまなファンク／フュージョン・スタイルのリズムを使って書かれています。付属のCDは、すべて実際のリズム・セクションの演奏をライヴ・レコーディングしているので、曲やスタイルの本質を最大限に提供しています。また収録曲は、ベース、ギター、ドラムス各巻共通ですので、付属のCDを活用し、互いの演奏を聴き合いながら効果的に練習することも可能です。

付属のCDには、プレイ・アロング用のオーディオ・トラックの他、サービス・トラックとしてスタンダードMIDIファイルが含まれています。シーケンス・ソフトのインストールされたコンピュータをもっている人は活用できます。スタンダードMIDIファイルを利用することでリズムだけを使用したり、ハーモニーやテンポを変えることでプレイヤーの演奏レベルにあった音源を創ることもできます。

本書に収録されたファンク／フュージョン・スタイル

Funk スタイル、アフリカン・グルーヴ、*George Benson* スタイル、*L. A. Funk* グルーヴ、*Tower of Power* スタイル、
John Scofield スタイル、*Mike Stern* スタイル、*Steely Dan* スタイル、シャッフル・グルーヴ、*James Brown* スタイル、
Tribal Tech スタイル、*Miles Davis* スタイル、*Lifetime* スタイル、5/4グルーヴ、*Yellow Jackets* スタイル、*Herbie Hancock* スタイル

定価［本体3,500円＋税］

ベース　　*Peter O'Mara / Patrick Scales* 著

本書は、エレクトリック・ベースでファンク／フュージョン演奏を向上させたいプレイヤーたちに、その最適な練習の基盤を提供しています。付属のプレイ・アロングCDを以下の練習に活用しましょう。

- ライヴ演奏のシチュエーションを体験しながら、その曲をとおしてベース・ラインを組み立てる練習
- メロディやソロのサポート方法や、いつ、どこでフィルを行うかなど、ベース・ラインのコントロール方法の練習
- 2または3種類のグルーヴの組み合わせや、変拍子でのベース・ラインを学ぶ
- モーダルな曲やダイヤトニックのコード進行の曲でのベース・ラインの練習
- タイトに演奏する練習
- 初見で演奏する

定価［本体3,500円＋税］

ギター　　*Peter O'Mara* 著

本書では、ファンク／フュージョン・シーンで使われるリズムをできる限り幅広く紹介しています。各曲のテーマ（メロディ）を演奏することは**チャレンジ**です！リズム・セクションに合わせ、タイトに演奏する方法を学ぶことは非常に重要です。リズム・ギターのリフはグルーヴ全般にわたり演奏され、もちろんインプロヴィゼイションのためのスペースも十分にあります。

もっとも効果的な練習方法は、1つのエクササイズにある程度の時間を費やし、その後あなたが取り組んでいる曲などにそのコンセプトを取り入れてみることです。作曲するのもよいでしょう。このような学習によって、ただこの本の最初から最後まで学習することに留まらず、学習したことをあなた自身のプロジェクトや普段の演奏などに反映させることができます。

定価［本体3,500円＋税］

ドラムス　　*Peter O'Mara / Christian Lettner* 著

CDのプレイ・アロング・トラックにより、**ライヴ**または**スタジオ**での状況を体験でき、また一流のミュージシャンとともに練習することができます。また、次のような課題に取り組む機会にもなるでしょう。

- テーマやソロに対するサポートの方法
- いつ、いかにフィルを入れるか
- いつ、いかにキック（キメ）に合わせるか
- 曲全体をどのように音楽的に仕上げるか
- 偶数拍子または奇数拍子に対して、偶数または奇数から成るグルーヴを演奏する
- コード進行を理解する
- クリックにしっかりと同調し演奏する
- 初見で演奏する

イージー・ジャズ・コンセプション、ジャズ・コンセプションの間をつなぐ新シリーズ

インターミディエイト・ジャズ・コンセプション
スタディー・ガイド・シリーズ
《各巻定価 本体3,300円＋税　模範演奏＆プレイ・アロングCD付》

アルト・サックス
soloist: *Jim Snidero*

インターミディエイト・ジャズ・コンセプションは、*Jim Snidero* が執筆した　優れたジャズ・エチュード・ブックのシリーズ、**イージー・ジャズ・コンセプションとジャズ・コンセプション**の中間レベルのシリーズです。既2つのシリーズと同様、それぞれの楽器において付属CDで演奏しているソロイストには、世界でもっともすばらしいミュージシャンたちをフィーチャーしています。

フルート
soloist: *Lew Tabackin*

テナー・サックス
soloist: *Ted Nash*

本書はCDと本のセットで、スタンダード、モーダル・チューン、ブルースをベースにした15のエチュードを掲載しています。伴奏は *David Hazeltine*(pf)、*Peter Washington*(bs)、*Kenny Washington*(ds)による、最高にスウィングするリズム・セクションです。本書の巻末には、スタイルとインプロヴィゼイションに焦点をあてたAppendix、スケールの概要、インプロヴィゼイションの学習に役立つ95ものラインとアイディアが掲載されています。

トランペット
soloist: *Jim Rotondi*

トロンボーン
soloist: *Steve Davis*

付属のCDには、2つの異なるヴァージョンがレコーディングされています。1つはソロイストとリズム・セクションによる模範演奏、もう1つはリズム・セクションのみのマイナス・ワン・ヴァージョンです。ソロイストがエチュードをどのように演奏しているかを聴き、CDと一緒にソロイストの演奏ありで、またはなしで演奏してみましょう。すばらしいジャズ・スタイルとインプロヴィゼイションの両方を学びましょう。

クラリネット
soloist: *Ken Peplowski*

ギター
soloist: *Joe Cohn*

インターミディエイト・ジャズ・コンセプション

【 日本語版　近刊予定 】

ピアノ編

リズム・セクション・シリーズ
ベース・ライン編
ドラムス編

CD収録リズム・セクション・メンバー

David Hazeltine : Piano

Peter Washington :Bass

Kenny Washington : Drums

リズム・フィギュアを読むジャズ・エチュード
リーディング・キー・ジャズ・リズム 《模範演奏&プレイ・アロングCD付》

Fred Lipsius 著

リーディング・キー・ジャズ・リズム **ピアノ**

ソロイスト：Russ Schmidt piano
定価［本体3,000円+税］

リーディング・キー・ジャズ・リズム **アルト/バリトン・サックス**

ソロイスト：Fred Lipsius alto saxophone
定価［本体3,000円+税］

リーディング・キー・ジャズ・リズム **テナー/ソプラノ・サックス**

ソロイスト：Fred Lipsius tenor saxophone
定価［本体3,000円+税］

リーディング・キー・ジャズ・リズム **トランペット**

ソロイスト：Lew Soloff trumpet
定価［本体3,000円+税］

リーディング・キー・ジャズ・リズム **トロンボーン**

ソロイスト：Jim Pugh trombone
定価［本体3,000円+税］

リーディング・キー・ジャズ・リズム **フルート**

ソロイスト：Matt Marvuglio flute
定価［本体3,000円+税］

リーディング・キー・ジャズ・リズム **クラリネット**

ソロイスト：Ramon Ricker clarinet
定価［本体3,000円+税］

リーディング・キー・ジャズ・リズム **ヴァイオリン**

ソロイスト：Evan Price violin
定価［本体3,000円+税］

リーディング・キー・ジャズ・リズム **フレンチ・ホルン**

ソロイスト：John Clark french horn
定価［本体3,000円+税］

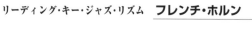

リーディング・キー・ジャズ・リズム **ギター**

ソロイスト：Jack Pezanelli guitar
定価［本体3,000円+税］

リズム・フィギュアを読むジャズ・エチュード／リーディング・キー・ジャズ・リズムは、全部で10種類の楽器で構成されるシリーズで、それぞれに同じ24曲のジャズ・エチュードが収められています。

本シリーズは、楽器の基本的テクニックは身につけているが、バンドの経験の少ないプレイヤーに最適です。

本シリーズの各巻は、初級から中級者レベルのジャズ・エチュード24曲と、それぞれのエチュードを簡略化したガイド・トーン・ヴァージョンの24曲で構成されています（ピアノを除く）。これらは、ジャズ語法の基礎、スウィング・フレージング、アーティキュレーションの学習のために理想的なものです。ジャズ・アンサンブル、およびジャズ関連の音楽を演奏するあらゆるアンサンブルやオーケストラのための導入教材として最適です。

各巻は、それぞれの楽器に適合するキーに移調された2とおりの楽譜と模範演奏のCDがセットになっています。また、楽器ごとに演奏しやすいように、同じエチュードでもキーが異なっているものがあります。またフレージングも楽器ごとに少しずつ異なっています。

付属CDには、それぞれの楽器のソロイストによる24曲のメロディアスなジャズ・エチュードの模範演奏と、ピアノ、ベース、ドラムスによるプロフェッショナル・リズム・セクションが収録され、別トラックにはリズム・セクションによるプレイ・アロングが収められています（ピアノは左右の手をステレオで分離したトラックとプレイ・アロング・トラックを収録）。

各エチュードは、特定のリズム、またはリズミック・フィギュアの組み合わせに基づいています。エチュードの中には非常にリリカルなジャズ・インプロヴィゼイション・ソロのようなサウンドをもつものも、またスタンダードのメロディのようなものもあります。

エチュードはすべて、ジャズ・ミュージシャンの日常語となっているジャズ・チューンや、メジャーとマイナーのブルース、およびリズム・チェンジ（I Got Rhythmのコード進行）に基づいたものです。コード・シンボルを活用して、プレイ・アロング・トラックに合わせてインプロヴァイズすることもできるように組み立てられています。

ガイド・トーンとは、それぞれのコード・タイプに欠かせない、またはそれを決定づける音のことです。CDの模範演奏といっしょにガイド・トーン・ヴァージョンを演奏する独習用として活用できます。また、エチュードとそれに対応する簡略化されたガイド・トーン・ヴァージョンを、先生と、あるいはバンドのメンバーとデュエットで（CDの伴奏付きで、または伴奏なしで）演奏することができます。ただし、異なる楽器で行うデュエットには少し工夫が必要です（ピアノは2人で左右の手を別々に演奏してみる）。

本書のエチュードで使われているジャズ・スタンダードのコード進行

Confirmation, If I Should Lose You, Stella By Starlight, Misty, Blue Bossa, Satin Doll, What Is This Thing Called Love?, Autumn Leaves, All Of Me, Out Of Nowhere, Someday My Prince Will Come, Days Of Wine And Roses, It Could Happen To You, There Will Never Be Another You, Don't Blame Me, How High The Moon, I've Got Rhythm, Body And Soul, I'll Remember April, All The Things You Are, Lover Man, Cherokee

本物のリズム・セクション（*Mel Lewis*／drums, *Rufus Reid*／bass, *Harold Danko*／piano）
の演奏で学ぶ

ラーモン・リッカー　インプロ・シリーズ

ビギニング・インプロヴァイザー《模範演奏＆プレイ・アロングCD付》
VOL. 1 : THE BEGINNING IMPROVISER すべての楽器に対応

第1巻は、メジャー・スケールを弾くことはできるが、ジャズはまったくの初心者といった人を対象にしています。

ヴォキャブラリー：インターヴァル（音程）／ローマ数字による表記／モード／ダイアトニック7thコード／メジャー、マイナー、ドミナント、サスペンデッド・コード／コードとスケールの関係／ブルース進行／ブルースでのペンタトニック・スケールの使用／ペンタトニックのスケールとブルースの関係／II-V-I進行／リズム・チェンジ／サークル・オブ5th、サークル・オブ4th／コード・チェンジに沿ってプレイするためのステップ

スタイル：スウィング8th／メトロノームの使用／スケールの練習／スキャットで歌うソロ

イヤー・トレーニング：CDの録音を練習に活用するための実例と提案

定価［本体3,800円＋税］

ブルース《模範演奏＆プレイ・アロングCD付》 すべての楽器に対応
VOL. 2 : BLUES

第2巻ではブルース・フォームのみを扱い、このジャズで最も重要とされるフォームを、より深く学ぼうとする、すべてのレベルのプレイヤーを対象にしています。

ヴォキャブラリー：ブルース・フォームとそのヴァリエーション／ブルー・ノート／基本的な代理コード／ブルース・スケール／ペンタトニック・スケール／パッシング・トーンを伴うドミナント・スケール／ドミナント・ワークアウト／ii-V進行に対するパッシング・トーンを伴うドミナント・スケールの適用／パッシング・トーンを伴うドミナント・スケールのブルースへの適用

スタイル：ブルースのインプロヴィゼーション／メロディーの活用／メロディーを学ぶ／インプロヴィゼーションの素材としてのトランスクライブしたソロの活用／良いソロをするためのステップ

イヤー・トレーニング：CDの録音を練習に活用するための実例と提案

定価［本体3,800円＋税］

II-V-I進行／スタンダード・チューン／リズム・チェンジ《模範演奏＆プレイ・アロングCD付》
VOL. 3 : THE II-V-I PROGRESSION, STANDARD TUNES AND RHYTHM CHANGES すべての楽器に対応

第3巻では、II-V-I進行、リズム・チェンジ、スタンダード・チューンのみを扱い、コード・チェンジに沿ってプレイすることを学ぼうとする、すべてのレベルのプレイヤーを対象にしています。

ヴォキャブラリー：II-V-I進行／マイナー7th(♭5)コード、ロクリアンおよびロクリアン♯2スケール／オルタード・ドミナント・コード／オルタード・スケール／ガイド・トーン／ガイド・トーンとしてのトライアドの使用／ウォーキング・ベース・ライン／パッシング・トーンを伴うメジャー・スケール／メジャー・ワークアウト／パッシング・トーンを伴うドミナントおよびメジャー・スケールのII-V-I進行およびリズム・チェンジへの適用

スタイル：ソロにおけるガイド・トーンの活用／インプロヴィゼーションの素材としての、メロディーの活用／歌詞を学ぶ／ロディーを学ぶ

イヤー・トレーニング：CDの録音を練習に活用するための実例と提案

レパートリー：II-V-I進行を多用したジャズ・コンポジション／ii-V-I進行を多用したスタンダード・チューン／リズム・チェンジに基づいたコンポジション

定価［本体3,800円＋税］

メロディック・マイナー・スケール《模範演奏＆プレイ・アロングCD付》
VOL. 4 : THE DEVELOPING IMPROVISER: The Melodic Minor Scale すべての楽器に対応

第4巻では、メロディック・マイナー・スケールと、そのジャズにおける用法のみを扱っています。本書で目指しているのは、このスケールを徹底的に学び、そしてこのスケールが使用可能な場所を、できるだけ多く見い出すということです。このスケールをマスターし、聴き、さらにさまざまなコードに使用することを学ぶことができれば、一見難しそうなコード進行を単純化できるようになり、その結果として、ハーモニックまたメロディックなヴォキャブラリーが豊かになります。

バックグラウンド：クラシックおよびジャズ理論における、ナチュラル・マイナー、ハーモニック・マイナー、メロディック・マイナー

理　論：メロディック・マイナーのモード／ダイアトニック7thコードと、パッシング・トーンを伴うメロディック・マイナー・スケールの練習法／さまざまなコードに対するメロディック・マイナー・スケールの適用／メロディック・マイナーにおけるコードとスケールの関係のまとめ／オルタード・ドミナント・コードに関するノート

ワークアウト：メロディック・マイナー・ワークアウト／ワークアウトの練習法／マイナー・コード／マイナー7th(♭5)コード／ドミナント13thコード／オルタード・ドミナント・コード／メジャー7th(♯5)コード

メロディック・マイナー・スケールの、II-V-IおよびV-I進行への適用：マイナーのII-V-Iに対するハーモニック・マイナー・スケール／マイナーのII-V-Iに対するメロディック・マイナー・スケール、およびパッシング・トーンを伴うメロディック・マイナー・スケール／ドミナント13thおよびsus♭9コードに対するパッシング・トーンを伴うメロディック・マイナー・スケールの適用／インプロヴィゼーションにおけるメロディック・マイナー・スケールの活用

定価［本体3,800円＋税］

ラーモン・リッカー・インプロ・シリーズおよびリーディング・キー・ジャズ・リズム・シリーズに基づいた
Groovin' Easy Series パート譜付ビッグ・バンド・スコア（別売CD Groovin' Easy）が好評発売中

インプロヴィゼイションをシンプルかつ実用的なアプローチで解説する驚異のメソッド
ジェリー・バーガンジィ／インサイド・インプロヴィゼイション・シリーズ《全6巻》
インプロヴィゼイション学習の進め方については、巻末CD台紙ウラのガイド・チャートを参照

定価［本体4,300円＋税］

インサイド・インプロヴィゼイション・シリーズ　vol.6
ジャズ・ランゲージの強化　すべての楽器に対応
DEVELOPING A JAZZ LANGUAGE　《プレイ・アロング＆模範演奏CD付》

Jerry Bergonzi による、待望のジャズ・ランゲージ強化の本！

本書ジャズ・ランゲージの強化は、*Jerry Bergonzi* によるインサイド・インプロヴィゼイション・シリーズの第6巻です。1つの言語を学ぶためには、その言語の意味、サウンド、意図、および抑揚またはニュアンスを、さまざまなレベルで聞き取ることが必要になります。ジャズ言語の学習を主題とする本巻の最初のチャプターでは、その前提条件となるコード・スケール、コード・トーンおよびターゲット・ノートに対するアプローチ・ノート、スケール・モティーフおよびシークエンス、またさまざまなラインに焦点を合わせています。

パート2では、インプロヴィゼイションのテクニックをメロディック、ハーモニック、およびソニックの3つに分類し（リズミックな手段については、第4巻メロディック・リズムで集中的に扱っています）、それらの中から1つを選んで、各自の学習のコースを組み立てられるように、ソロの手段のメニューとして構成されています。

インプロヴァイザーが表現力を一層深め、またより大きなアイディアの源泉を得ることができるように、100を超える手段を詳しく検討しています。ここでは、以下のものを含め、ガイド・トーン、ヴォイス・リーディング、コード・サブスティテューション、3トニック・システムを用いたコンポジション、トライトーン、ヘクサトニック、トーナル・エクスパンション、ホールトーンによる演奏、対称形のオーグメント・スケール、ダブル・ディミニッシュ・スケール、レンジを限定した演奏と広いレンジでの演奏、シェイプ、ブルースのメロディ、アクセント、ソロの手段としてのコンピング、コモン・トーン、アーティキュレーション、その他数多くのトピックが紹介されています。

定価［本体3,800円＋税］

インサイド・インプロヴィゼイション・シリーズ　vol.3
ジャズ・ライン　すべての楽器に対応　《プレイ・アロング＆模範演奏CD付》
JAZZ LINE

インサイド・インプロヴィゼイション・シリーズの第3巻にあたるジャズ・ラインは、ダイアトニック・スケールにおいて、ある特定の音と音の間にクロマチックのパッシング・トーンをつけ加える手法はミュージシャンがよく使う技法のひとつです。

このテクニックはスケールのサウンドをコードに対してハーモニー的に正しい、あるいは協和にサウンドさせるのに役立ちます。

これらのスケールは通称ビバップ・スケールと呼ばれています。私はこのスケールがジャズ・スケールだと思っています。その理由は、私の尊敬する多くのジャズ・プレイヤーがこのスケールを使っているからです。ビバップ、ハード・バップ、スウィング、クール、アバンギャルド、リズム・アンド・ブルース、そしてその他数多くのジャズ・スタイルはこのビバップ・スケールを取り入れているのです。

本書はクロマティシズム、ライン・プレイング、ヴォイス・リーディングおよびバップ・スケールの学習と演奏への取り入れ方を明解かつ実践的に紹介しています。

定価［本体3,800円＋税］

インサイド・インプロヴィゼイション・シリーズ　vol.2
ペンタトニック・スケール　すべての楽器に対応
PENTATONICS　《プレイ・アロング＆模範演奏CD付》

インサイド・インプロヴィゼイション・シリーズの第2巻にあたるペンタトニック・スケールは、実践的、かつ創造的なアプローチで、ペンタトニックをメロディックな音楽的知識として吸収できるように構成されています。私がこのシステムを本にまとめようと思い立ったのは、このメソッドを長い間教えてきて、大きな成功をおさめてきたという実績があるからです。

「ペンタトニックしか演奏しない人はいるのか？」という質問をよく受けます。すべてペンタトニックだけで演奏しているプレイヤーは思い当たりませんが、近年のプレイヤーはペンタトニックを自在に操り、メロデックに利用しています。もちろん、ペンタトニックを使用している優れたプレイヤーの演奏を聴き取ることは、どのようにペンタトニックを音楽的に用いたらよいのかを知る上で、非常に価値のあるレッスンとなります。

付属のCDには、曲または練習用のプレイ・アロングが9曲（18トラック）と、*Jerry Bergonzi* による7曲の模範演奏が収録されています。

本書はすべての楽器に対応できるように編集されています。また、本書の目的は、ペンタトニックをマスターするためのシステムをはっきりさせ、ペンタトニックをメロディーや音楽そのものに転換するためのさまざまな方法を提示しています。

インサイド・インプロヴィゼイション・シリーズ vol.4
メロディック・リズム　すべての楽器に対応
MELODIC RHYTHMS　《プレイ・アロング＆模範演奏CD付》

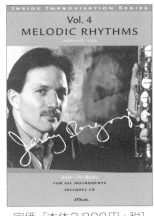

インサイド・インプロヴィゼイション・シリーズの第4巻にあたる本書では、インプロヴィゼイションに一番大切な、タイムとリズムを解説しています。私たちは、インプロヴァイズされた音楽を演奏したり、聴いたりしている時は、絶え間なくタイムとリズムを認識しています。すべての音はよいタイムで演奏されると、よく聴こえるように思われます。間違った音を使っているメロディーでさえも、よいタイムで演奏されればよく聴こえます。よいタイム・フィールとは、一言で表現すれば、特別なアーティストが選んで使っているリズムです。

付属のCDには、ジャス・ミュージシャンが毎日のヴォキャブラリーとしている10のコード・プログレッションが収録されていて、それぞれ2つの異なるテンポで演奏されています。

定価［本体3,800円＋税］

インサイド・インプロヴィゼイション・シリーズ vol.1
メロディック・ストラクチャー　すべての楽器に対応
MELODIC STRUCTURES　《プレイ・アロング＆模範演奏CD付》

インサイド・インプロヴィゼイション・シリーズの第1巻にあたるメロディック・ストラクチャーは、インプロヴィゼイションをシンプル、かつ実用的なアプローチで解説してあります。本シリーズは、ジャズの語法に焦点を合わせてはいますが、紹介されているテクニックはロック・ギター、ジャズ・サックスからフュージョン・キーボードにいたるまで、さまざまなスタイルの音楽、あらゆる楽器に適応できるようになっています。本書では、インサイドなハーモニー、インサイドなコード・チェンジをしっかりと把握することで、インサイドな創造力を身につけることを目的としています。

本書では、数字を使ったナンバー・システムに主眼をおいてレッスンを進めています。このシステムでは、それぞれのコードの類似性や関係性を把握しながら、コード進行に対してインターヴァルを基にした演奏法を身につけることができます。つまり、さまざまなメロディック・スケールのセグメント（断片）をタイプごとに区分し、それらを活用してソロを展開していく方法を、段階的に学習するというシステムになっています。本書の各Chapterの終わりには、そこで扱われているテクニックを練習するための特定の課題を掲載しています。

定価［本体3,800円＋税］

インサイド・インプロヴィゼイション・シリーズ vol.5
インターヴァリック・メロディー　すべての楽器に対応
THESAURUS OF INTERVALLIC MELODIES　《プレイ・アロング＆模範演奏CD付》

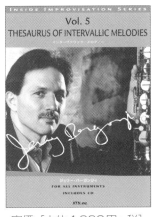

「この本のメロディーをただ読むだけの練習は、私のプレイを変え、拡げた」とJerry Bergonziは語っています。彼は、インサイド・インプロヴィゼイション・シリーズの第5巻にあたる本書インターヴァリック・メロディーにおいて、イヤー・トレーニング、作曲、インプロヴィゼイション、技術的な腕前を磨くこと、イントネーション、初見、指の癖を直すこと、ピッチの維持を含む、このインターヴァリック・システムのために数多くの利用や応用を提示しています。

本書で提示されているインターヴァリック・システムは、オリジナルのラインやテーマ、つまりインターヴァリック・メロディーの最新のシソーラスを創造するための手段です。各ページは3つか4つ、あるいは5つの特定のインターヴァルに集中していてます。これらのインターヴァルを上行と下行のあらゆる可能性でつなげることが、無限の種類の、とても特徴的なメロディーを創造します。これらのメロディーはいずれのハーモニーからも独立して創られていますが、コード・チェンジ上で演奏すると、とても効果的に聴かせることができます。

定価［本体4,300円＋税］

日本語字幕入DVD

DVD／メロディック・ストラクチャー　日本語字幕入
VOL. 1　MELODIC STRUCTURES <DVD>

インサイド・インプロヴィゼーション・シリーズ／メロディック・ストラクチャーのDVD版。本書に掲載されているほとんどすべてのチャプター（チャプターIVとVIIIは収録されていない）が、ジェリー・バーガンジィ自身のピアノやテナー・サックスによる演奏とともに解説されており、とても分かりやすい。本では少し難解だった、さまざまなフレーズが彼の演奏によって一段と説得力を増している。本とともに併用することで、効果的な学習ができる。ジャズ・インプロヴァイザーを目指す人にお勧めのDVDだ。

定価［本体3,800円＋税］

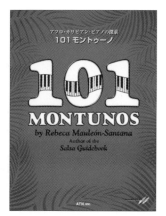

定価［本体5,000円＋税］

アフロ・カリビアン・ピアノの探求
101 モントゥーノ 《模範演奏2CD付》
101 Montunos
Rebeca Mauleón-Santana 著

本書は、長年にわたる調査の結果やパフォーマンスを基に、すばらしきアフロ・カリビアン・ピアノの演奏方法を探求し解説するものです。

本書では、アフロ・カリビアン・ミュージックの歴史的背景を確認しながら、さまざまなリズミック・スタイルにおけるピアノの役割りについて詳細に解説し、ピアノという即興演奏性の高い楽器におけるリズムあるいはハーモニー的機能を示します。それぞれのスタイルにおいて最初に紹介する基本パターンやヴァリエーションを学習し、それらを発展させることで、より高度なモントゥーノ演奏への限りない可能性を知ることができるでしょう。特に革新的または個性的なパターンを演奏したピアニストや、その他のミュージシャンのスタイルなども紹介しています。

さらに、著名なピアニストたちによるソロの一部分をトランスクライブしたものや、この分野における最高のミュージシャンたちによる優れたインプロヴィゼイションを、本書のさまざまなセグメントに掲載しています。付属CDでは、本書で解説されているすべてのモントゥーノが、著者によって模範演奏されています。また、複数人編成のコンテクストによるパターンをデモンストレートするために、リズム・セクションが参加しているものもあります。

クリエイティヴなモントゥーノ演奏は、優れたアフロ・カリビアン・ピアニストになるための第一歩です。

本書の主な内容
クラーヴェについて　　アフロ・カリビアン・ピアノの歴史（1840s-1950s）
ソンからサルサへ、ラテンジャズとソンゴ（1960s-1980s）
その他のさまざまなカリビアン・スタイル　　90年代以降のモダンなスタイル

定価［本体2,500円＋税］

ヴォーカリストとすべての楽器奏者のための
21 ビバップ・エクササイズ 《練習用CD付》
21 Bebop Exercise　　*Steve Rawlins* 著

本書は、自分のジャズの演奏能力をさらに伸ばしたいと考えているソロイストとアンサンブル・パフォーマーのために考案されました。多くのウォーミング・アップの方法と同様、12のすべてのキーで練習することに焦点を当てています。それそれ特有のエクササイズの利点を身につけると同時に、幅広い音域と自由に演奏する上で役立ちます。

本書は、明確な特徴をもつ21のエクササイズに限定しているため、すべてのエクササイズはすぐに簡単に覚えることができます。そして間もなく、コード・オルタレーション（コードの変更）、フレージング、使用可能な音の選択について、より深く理解できるようになります。

ジャズとその他のあらゆるスタイルの音楽の最も顕著な違いは、8分音符の**スウィング**にあります。それらは通常の8分音符で書かれていますが、本当のジャズ・フィールは、2つのイーヴンな8分音符のリズムと、付点8分音符と16分音符のリズムの、およそ中間に位置しています。

ビバップとは本来、ジャズのパイオニアである*Charlie Parker*と*Dizzy Gillespie*のファンや後継者たちの中から生まれた呼び名でした。彼らのプレイするフレーズの多くが、bebop（ビバップ）という言葉のように聞こえる2つの8分音符で終わるようにプレイしていたことに由来しています。

ヴォーカリストたちは、どんな響きを使ってもかまいません。もっとも自然なシラブルはBやD（たとえば、ba（バ）、da（ダ）、bee（ビー）、dee（ディー）、bow（バウ）、dough（ドウ））で始まる文字です。nah（ナー）、sha（シャ）、sku（スク）なども試してみましょう。

本書には、練習用のCDが付属されているので、CDプレイヤーさえあれば、どこにいてもこのウォーミング・アップを行うことができます。

21のエクササイズの内容
3度インターヴァルのメジャー・スケール・パターン、♯9thで終わるスケール・パターン、クロマティック、半音、マイナー7thコードのアルペジオ、スリー・アゲインスト・フォー（4拍子における3拍フレーズ）、2倍速、サークル・オブ・5th、ディミニッシュ・トライアド、ディミニッシュ・スケール、♭9thコード、ディミニッシュ・パターン、ディミニッシュ・スケール・パターン、マイナーIおよびIVコード、マイナーIのアルペジオからメジャーIVのアルペジオへ、ブルース・スケール、完全4度（パーフェクト4th）、♭5th、ホールトーン・スケール、長い音から短い音へ、II‐V7‐Iプログレッション

ザ・ジャズ・コード&スケール・ガイドブック　*Gary Keller* 著

The Jazz Chord / Scale Handbook

コード／スケールの関係を詳細、かつシンプルにひもとく良書

本書は、いかにインプロヴァイズするかについての本ではなく、ジャズのインプロヴィゼイションと作曲において共通して見られる多様なスケールとコードの関連を見極め、体系づけて理解するための総合的なガイドブックです。

本書は、ハーモニック・システムの原理を基に、9つの異なるシンメトリック・スケールや多種のペンタトニック・スケール、ブルース・スケールだけではなく、すべてのメジャー・モード、メロディック・マイナー、ハーモニック・マイナー、ハーモニック・メジャーを体系づけています。

定価［本体2,800円＋税］

本書の最も優れているところは、それぞれのスケールについて、モーダルまたはファンクショナルなコード・ヴォイシングが実際に譜例として表記されていること、一般にどのように使われているかの情報、実際にレコーディングされている曲が使用例としてあげられていることです。

本書の主な内容
一般的な記号と略語、用語と定義、アシンメトリック(非対称)なハーモニック・システム、シンメトリック(対称)なハーモニック・システム、ハーモニック・システム、ペンタトニック・スケール、ブルース・スケールほか

「ザ・ジャズ・コード&スケール・ガイドブックは、コードとスケールの理論について有用な情報が詰まっています。本書は、スケールからどのようにハーモニーやさまざまなヴォイシングが生み出されるのか、例のすべてを具体的な全体像に組み入れることにより、包括的な考察を与えてくれます。ジャズ・コンポジションを教えるテキストとして、授業で使いたいすばらしいガイドブックです。」

Ron Miller, マイアミ大学ジャズ・コンポジション科教授

「ザ・ジャズ・コード&スケール・ガイドブックは、トラディショナルとコンテンポラリー・ミュージックのためのすばらしい参考書です。Garyは、基本的なペアレント・スケールとシンメトリック・スケールからのすべてのコードを網羅しています。私はコンテンポラリー・インプロヴィゼイションと作曲を教えるにあたり、この本を跳躍台として利用しています。」

Ed Tomassi, バークリー音楽大学教授

コード進行の解釈と発展の徹底研究
ヒアリング・ザ・チェンジ　*Jerry Coker, Bob Knapp, Larry Vincent* 共著

Hearin' the Changes

本書の特色として、ジャズが始まって以来インプロヴィゼイションを学ぶ人々を悩ましてきた問題、すなわち、耳だけを頼りにコード進行を即座に認識できるようになるにはどうしたらよいか、を解決することに焦点を当てています。

本書は、ジャズ(それに類似したスタイルの他のジャンルを含む)のハーモニーについて書かれています。その主な目的は、他の多くのジャズ関連の本にびっしりと書かれているような、和声の構造やインプロヴィゼイションのためのスケール、練習パターンなどを説明することではありません。ジャズ理論の解釈はある程度含まれますが、それは読者の理解を明確にするために必要な量だけに留めてあります。

定価［本体3,000円＋税］

ジャズ・ミュージシャンのレパートリーから、100曲を超える例題を慎重に選び出し、それぞれのコード・プログレッションや曲の構成を分析、比較し、それらの共通性を認識することで、さまざまなコード・プログレッションを体系化していきます。これにより、コード・プログレッションがどのように作用して曲が成り立っているかを理解でき、より早く、確実に曲を覚えることができるでしょう。

例えば、ジャム・セッションの場で知らない曲(名前は知っている、または聴いたことはあるが演奏したことはない)を譜面なしでインプロヴァイズやコンピング(伴奏)をしなくてはならないことがありますが、本書で学ぶことにより、他のプレイヤーのベース・ラインやピアノ、ギターなどのコードを聴くことで、次に進むコードが予想できるようになり、コード・プログレッションを丸暗記する必要がなくなるでしょう。

本書に選ばれた曲は、ほとんどすべて、スタンダード、ビバップ、ポップ、コンテンポラリー系の曲です。ブルースとモーダルな曲はここではほとんど触れません。さまざまなコード・プログレッションの中の共通性を明らかに認識することによって見えてくるある本質は、読者にとって効率良いトレーニングとなります。新しい、なじみのない曲において何が起こりうるかを知り、耳だけを頼りにその知識を認識し、確認するためのトレーニングです。

本書を読むことで、ジャズとポピュラー音楽のハーモニーの言語を作り上げている、多くの要素に関して理解がより深まることを心より願っています。またここでの学習を通じて、内容から実用的なメリットを受け、日常の音楽環境の中でその情報を生かしていけることを望んでいます。

ジェフ・タメリアー　ファンク・ギター
Tower of Power
《模範演奏＆プレイ・アロングCD・タブ譜付》

タワー・オブ・パワーのファンク・グルーヴをさらにファンキーに彩るギタリスト、ジェフ・タメリアーの演奏をトランスクライブした楽譜（TAB譜付）と、マイナス・ワン・トラックを含む模範演奏CDとのセット。本書の掲載曲もロッコ・プレスティア　ファンク・ベースと同じ曲を使用。インタビューやさらに各曲ごとにジェフが演奏のポイントを詳細に解説している。

本書の付属CDではジェフ本人によるギター・プレイはもちろん、現在のタワー・オブ・パワーのリズム・セクションとヴォーカルが参加してゴキゲンな演奏を提供している。

収録メンバー
Larry Braggs (vocals), *Dave Garibaldi* (drums), *Roger Smith* (keyboards) , *Rocco Prestia* (bass)

このセッションに参加して世界最高のグルーヴを体感し、ファンキーなギター・プレイをモノにしよう。

定価［本体2,800円＋税］

直輸入版のご案内
以下の商品は直輸入版につき、通信販売のみのお取り扱いとなります。
エー・ティー・エヌ　ホームページにてお問い合わせください。

Funk Grooves Workshop for Bass [CD付]　*by Fernando Martinez*

Funk Grooves Workshop for Drums [CD付]　*by Fernando Martinez*

Funk Grooves Workshopの各巻は、リズム・セクションとしてのベースとドラムスのコミュニケーションに重点が置かれているので、1ステップ上を目指すプレイヤーには大変役立ちます。

Marcus Miller、*Me'Shell Ndegeocello*、*Anthony Jackson*その他のスタイルによる12のグルーヴをフィーチャーしたプレイ・アロングCDが付属されています。

Funk Grooves Workshopの主な内容
- 練習のコンセプトの詳細な解説
- 曲の解説
- グルーヴのトランスクリプション
- 実用的なエクササイズおよびヒント

ATN, inc.

ファンクを極める本物のエチュード
ブリード・イズ・ファンキン
Cインストゥルメンツ
The Breed Is Funkin'
For C Instruments

発　行　日	2006年10月20日（初　版）
著　　　者	Peter Weniger
翻　　　訳	宮崎　隆睦
制　　　作	早川　敦雄
発行・発売	株式会社 エー・ティー・エヌ
	© 2006 by ATN, inc.
住　　　所	〒161-0033
	東京都新宿区下落合 3-12-21　目白エミネンス 102
	TEL 03-6908-3692 / FAX 03-6908-3694
ホーム・ページ	http://www.atn-inc.jp

3626

ISBN4-7549-3626-4